SCHUÏTEN-PEETERS
LES CÍTÉS OBSCURES

L'ENFANT PENCHÉE

PHOTOGRAPHIES DE MARIE-FRANÇOISE PLISSART
AVEC LA PARTICIPATION DE MARTIN VAUGHN-JAMES

casterman

L'ENFANT PENCHÉE

Quelques souvenirs
par Mary von Rathen

Aujourd'hui que cette histoire s'est éloignée de moi, me reviennent les souvenirs de ma petite enfance, avant que je ne sois penchée.

Je rêvais beaucoup ces années-là, et certains de ces rêves m'ont tellement marquée que leur image continue de m'habiter.

Le premier rêve était celui des mains.

Je me trouvais entre deux mains démesurées qui étaient peut-être celles de mon père. La lumière qui s'en dégageait commençait par me réchauffer, mais bientôt la température devenait insoutenable. Je voulais m'enfuir, mais je n'osais pas sauter dans cette eau noire et glacée. Pourtant, je craignais plus encore que les mains ne se referment sur moi comme les deux moitiés d'une huître...

Le deuxième rêve
était le plus horrible.

Il se passait dans notre maison
de vacances, à deux heures de route
de Mylos. Le jardin était immense
et en grande partie sauvage.

Dans ce rêve, mon frère avait caché
ma poupée tout au fond du jardin, là
où je ne m'étais jamais aventurée.
Je partais à sa recherche, mais la nuit
tombait d'un coup. Plus j'avançais, plus le
jardin se remplissait de monstres.
En un clin d'œil, ils m'avaient encerclée.
Ils se rapprochaient de moi en
gargouillant. Et personne ne
m'entendait crier...

Heureusement, mes rêves n'étaient pas tous aussi affreux.

Je me souviens qu'une fois j'ai réussi à m'envoler. Je planais doucement au-dessus d'une gigantesque forêt. Tout était calme, si différent de Mylos.

Soudain, en approchant d'une clairière, j'ai entendu une musique qu'il me semblait reconnaître. Je me suis mise à chanter et tous les musiciens ont levé les yeux vers moi. Jamais, je ne m'étais sentie aussi bien.

Le dernier rêve dont je me souvienne, je l'ai fait juste avant notre départ pour la grande fête d'Alaxis.

Nous marchions depuis des heures et ma mère n'en pouvait plus. Elle disait que la route était bien trop dangereuse, que nous lui avions menti une fois de plus, qu'il fallait rebrousser chemin.

J'avais peur que papa ne lui cède.

Alors, je me mettais à les pousser de toutes mes forces. Pour rien au monde, je n'aurais voulu renoncer à ce voyage...

Ça, ça m'étonnerait, y a plus d'altiplan avant mardi!

Cette petite... elle va me rendre folle!

Calme-toi, Rosa, tu sais bien que ça ne sert à rien.

On n'aurait jamais dû se lancer dans cette expédition. Trois jours de voyage pour en être là, perdus dans la populace...

Papa, viens voir!

Si au moins on n'avait pris que Kurt! Et d'ailleurs, vous auriez dû partir juste à deux... Moi, les voyages, ça ne me vaut rien. Je suis trop fragile.

PAPA!

T'as vu cette fille! Elle est belle, hein?

Quel monde sur ce bateau! Comment ils peuvent?

En tout cas, ils s'amusent plus que nous!

Ça y est, on arrive!

COSMOPOLIS

15

Le Star Express, ça a l'air dingue!

D'après le guide, c'est l'attraction la plus spectaculaire.

"Un voyage inoubliable dans les astres... Une expérience qui vous bouleversera.... Hum.

Très drôle!

MARY, RESTE ICI!

C'est tout de même incroyable. Il faut chaque fois qu'elle invente quelque chose.

Trois adultes et un enfant.

Mary, assieds-toi, ça va démarrer!

Ouh là là, ça ne me plaît pas du tout.

Ne t'en fais pas, Rosa, ça va aller!

EH!

KLAUS!

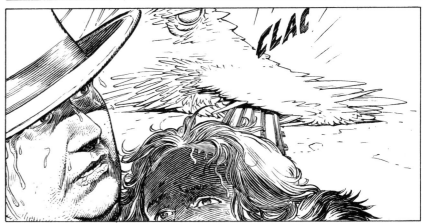

21

Je n'ai plus goût à rien. Cet article ignoble sur "L'enfant de Phœbus" m'a ôté toute énergie.

À quoi bon continuer à peindre si mon travail ne suscite que les sarcasmes? Mon Dieu, comme j'étais stupide en croyant que ma carrière allait enfin démarrer! Mes tableaux ne plaisent pas et ne plairont jamais. Ils sont venus trop tôt ou trop tard.

Même si je sais que cela me détruit, je ne peux m'empêcher de relire ces quelques phrases. Et le pire, c'est que j'en viens à croire que ce critique n'a pas tort. Tout ce que j'ai fait ces derniers jours est d'une grande médiocrité.

3

Depuis trois mois que je vous ai rejoints, nous n'avons pas progressé d'un pouce, dans l'élucidation de ce qui, depuis longtemps, aurait dû être notre priorité : l'exploration des astres qui nous entourent.

Ma conviction est faite : nos chemins doivent se séparer. Je continuerai mes recherches tout seul ; avec mes pauvres moyens, ainsi que je l'ai toujours fait.

Monsieur Wappendorf, permettez-moi de marquer mon complet désaccord ! Nous n'avions fait appel à vous, au lendemain du désastre de Brüsel, que pour perfectionner l'un de nos télescopes...

Pris de passion pour l'observation des astres, vous avez voulu réorienter vos travaux dans cette nouvelle voie. Nous avons accepté de développer un programme avec vous, nous détournant de nos objets habituels de recherche. Ne soyez pas trop pressé ! La science est affaire de patience.

Le temps nous presse, Messieurs. J'aimerais ne pas mourir avant d'avoir vu se confirmer mes hypothèses. Michel Ardan n'a-t-il pas calculé...

Messieurs !

Michel Ardan est un farceur.

Son passage à l'Observatoire de Genova n'a été qu'une suite de catastrophes et...

MESSIEURS! MESSIEURS! PROFESSEUR!

Eh bien, Guillaume, qu'y a-t-il?

Regardez! L'émission d'ondes s'accélère de plus en plus. Nous n'avons jamais rencontré cette fréquence.

Le ciel s'assombrit.

Une éclipse?

Impossible. Nous l'aurions prévue.

Les lampes ne s'allument plus.

Une météorite?

Non, il y aurait une traînée lumineuse...

Mais...

Attention!

Les bougies, Guillaume, vite!

BANG

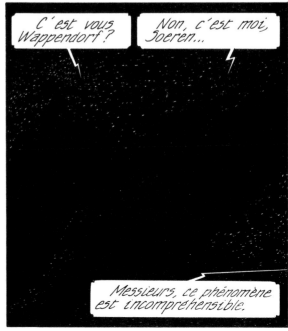

C'est vous Wappendorf?

Non, c'est moi, Soeren...

Messieurs, ce phénomène est incompréhensible.

Ah, la lumière revient!

On arrive..

Et voilà, messieurs dames, tout le monde descend!

C'était génial, la plus belle attraction de toute ma vie.

C'est fini, tu es sûr?

Klaus, j'en peux plus...

Je n'ai jamais vu une chose pareille. Fais-moi confiance, ils vont m'entendre!

Qu'on appelle le patron! Ça ne va pas se passer comme ça.

Je ne comprends pas...Il s'est passé un drôle de truc.

Ça doit être une éclipse!

Tu as senti, ça recommence!

MARY!

Eh bien, Mary, qu'est-ce qui t'arrive?

Je...je sais pas...

Ça bascule dans tous les sens.

Appuie-toi contre moi!

Tu as le tournis. C'est cette saleté d'attraction!

C'est fini maintenant!

Mais... Eh!

T'as vu papa? C'est rigolo.

C'est drôle, quand je tourne, ça penche autrement!

C'est incroyable... Un phénomène extraordinaire...

Et pourtant, il n'y a pas de truc...

Fais un effort, tiens-toi droite! Tu nous rends vraiment ridicules.

Elle ferait n'importe quoi pour se faire remarquer.

C'est marrant, hein?

Rentrons à la maison! Dans deux jours, il n'y paraîtra plus.

La leçon de cette journée, Kurt, c'est que les futilités ne nous valent rien. Les Von Rathen sont faits pour le travail.

**Hauts plateaux
de l'Aubrac**
28 octobre 1898

La première neige de l'année est tombée cette nuit, rendant l'Aubrac encore plus nu qu'il n'était. J'ai marché plus de trois heures sans croiser âme qui vive.

Quel bonheur d'être ici, loin des marchands et des critiques! les imbéciles. Ils ne sont pas près de revoir mes tableaux. "Desombres et son imagination bizarre" ne les dérangeront plus.

Je ne sais pas pourquoi ce rocher m'a frappé. Sa forme presque sphérique peut-être. Malgré le vent glacial, je me suis mis en tête de le dessiner...

Mon bon maître Gérôme hurlerait s'il me voyait ici, croquant sur le motif un gros caillou. Et le comble, c'est que j'ai dû m'y reprendre pour le remettre d'aplomb !

MARY, JE NE LE RÉPÉTERAI PAS DIX FOIS! LE DOCTEUR N'A PAS QUE ÇA A FAIRE.

IL VIENT DE LOIN POUR TE VOIR.

Ne vous en faites pas pour moi!

Tout de même, il serait temps qu'elle apprenne à obéir.

Une fois de plus, c'est avec elle que nous avons des problèmes. Cette gamine ne sait pas quoi inventer!

Je suis là!

Kurt, arrête avec ce piano! On ne s'entend plus.

Mais papa...

Hem... Allez, Mary, allonge-toi! On va prendre ta température.

Alors, on a trouvé une bonne idée, pour ne pas aller à l'école?...

Mmmm...

Elle n'a pas de fièvre...

Qu'est-ce que je disais! J'étais sûre que c'était de la comédie.

Et pourtant il y a quelque chose, c'est indéniable.

Je n'ai pas du tout mal. Sauf aux pieds...

Notez, que ça ne m'étonne pas vraiment!... Cette petite n'a jamais été très équilibrée.

C'est bon, Mary, tu peux te rhabiller... Monsieur Von Rathen, j'aimerais vous voir un moment.

Franchement, Docteur Texier, qu'est-ce qu'elle a ?

Hem... Il y a une part de simulation, c'est indéniable. Votre fille a toujours eu son caractère...

Mais il faut également prendre en compte les conditions climatiques de Mylos et les problèmes de croissance... Un début de décalcification n'est pas à exclure.

Nous pourrions, bien sûr, envisager un corset rectificateur et une cure de vitamines... Mais je crois que le mieux, dans un premier temps, ce serait un changement d'air... La campagne quoi !

La campagne ?!?

Ne soyez pas effrayé ! Je connais un excellent pensionnat, très bien fréquenté, aux environs de Sodrovni... Deux ou trois ans là-bas, et tout rentrera dans l'ordre.

Même psychologiquement d'ailleurs, ça soulagera votre chère Rosa... Votre femme est si sensible...Hem...Si fragile des nerfs...

Oui, elle est...tellement délicate... Vous devez avoir raison, Docteur, nous allons suivre vos conseils.

MARY! À TABLE!

J'ai jamais eu de chance, moi. Déjà que j'étais rousse!

Venant d'un homme comme vous, cette réponse me déçoit au plus haut point. La science, Monsieur Chlowsky, n'a pas affaire avec le visible mais avec l'invisible.

Oooh!

Trève de théorie, Wappendorf! Au fait!

Le phénomène lumineux dont nous avons été témoins voici trois semaines avait tous les traits d'une éclipse, sauf qu'aucun astre n'était visible...

Mais cet astre que nous ne pouvons pas observer, tout nous pousse à le déduire. Et les compétences rassemblées ici devraient même nous permettre de calculer sa place et sa masse.

Nous pouvons mesurer ses effets, étudier le champ de force qui implique de manière certaine son existence... Oui, chers collègues, tous les incidents récents conduisent à formuler l'hypothèse que voici...

Il s'agit d'un astre d'une densité si prodigieuse qu'il serait capable d'absorber, non seulement son propre rayonnement, mais celui de tous les corps qui passent à sa portée... **Une planète occulte.**

Absurde... Invraisemblable.

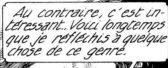

Au contraire, c'est intéressant... Voici longtemps que je réfléchis à quelque chose de ce genre.

En tout cas l'hypothèse mérite d'être étudiée.

Messieurs, je vous remercie. Je savais que vous ne voudriez pas tourner le dos à l'exaltante aventure qui se dessine.

Car cet astre, chers amis, nous allons nous en approcher.

Nous en approcher? Mais...

Oui, nous allons construire ensemble un engin capable de nous emmener dans l'espace... Le grand rêve céleste va devenir réalité.

Allez, Mary, grouille tes puces!
Tu vas encore être en retard...

TRIIIIIIIIIIIIIIIIIIIIII

Oh ça va, fichez-moi la paix!

Hi, hi!

Toujours vos singeries, von Rathen!
Vous commencez à me taper sur les nerfs.

Mais, Madame...

Y a pas de mais!
Au gymnase et plus vite que ça!

Encore en retard, von Rathen! Décidément, vous êtes incorrigible!

Allez, ma petite, assez traîné! En avant! Aux espaliers!

Flexion...

Toc

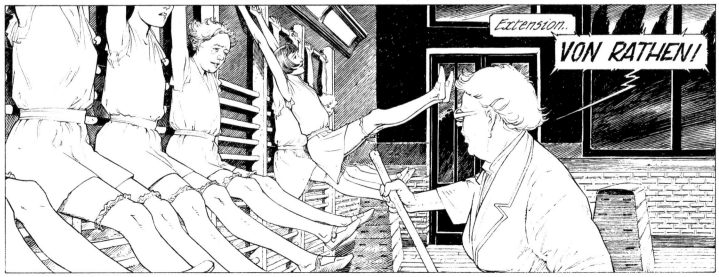

Extension..

VON RATHEN!

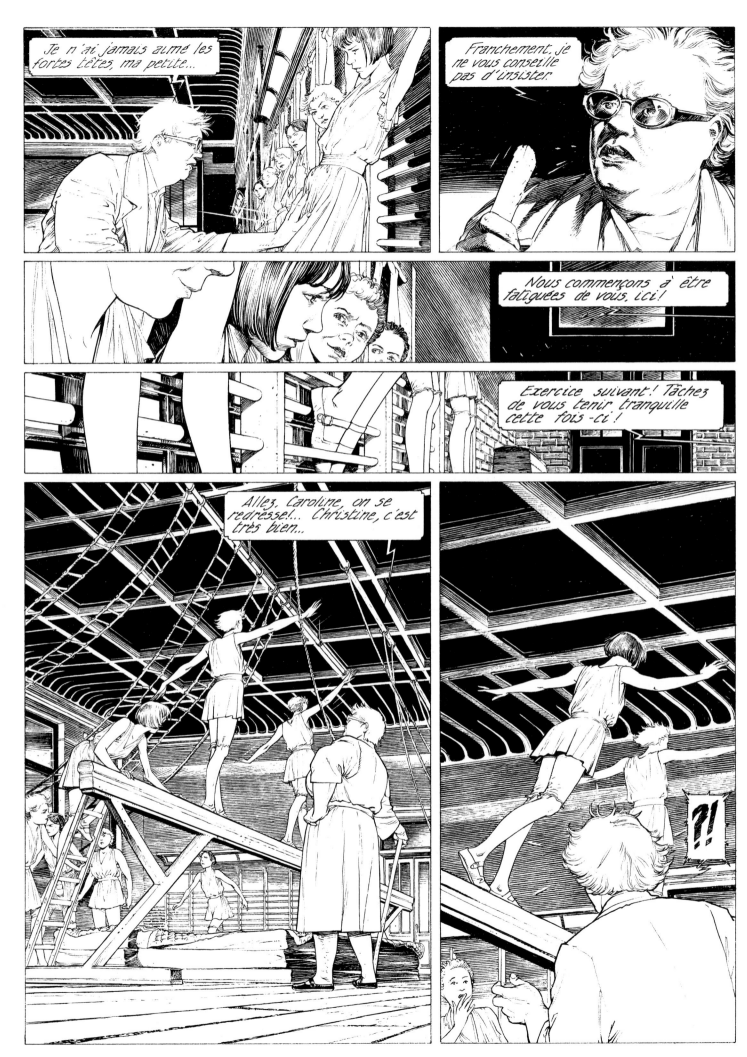

54

Von Rathen, vous êtes complètement folle. Cessez immédiatement ce petit jeu!

On vous fera marcher droit, ma petite, même s'il faut vous attacher à une planche.

Rhabillez-vous immédiatement et filez chez la directrice!

DIRECTION

TOC TOC

Encore vous, Mary von Rathen...

POC

POC

A tous les cours, vous vous faites remarquer! Jusqu'ici, nous avons été très patientes avec vous, mais vous devez reconnaître que vous avez dépassé les bornes.

Une sanction exemplaire s'impose. Je suis désolée, Mary von Rathen, mais nous allons devoir vous retenir ici pour les prochaines vacances.

CRÎÎÎ

?!

NON!

Ça, elles me le paieront!

Alors, elle te plaît?

Elle est comme toi, maintenant...

Presque aussi mal foutue!

Silence les filles! Il est 9 heures! Je ne veux plus entendre un mot!

56

Hauts plateaux
de l'Aubrac
4 novembre 1898

Une lettre de Florence est arrivée ce matin. Elle croit toujours que c'est cet article stupide qui m'a poussé à partir... Curieux comme elle me comprend peu...

Mes pas m'ont ramené devant la maison abandonnée. Qui donc a pu être assez fou pour construire une demeure aussi gigantesque dans un coin aussi perdu?

J'ai tourné un bon moment autour de la maison, tentant de jeter un coup d'œil à travers les volets fermés. Ses volumes paraissent sublimes.

C'est comme si ce voyage, cette longue errance n'avaient eu d'autre but que de me conduire ici. Dès demain, je veux savoir s'il est possible d'acheter ce bâtiment.

Voilà, M'steur!
Merci bien!

HÉ, TOI !

DEMANDEZ L'ÉCHO DES CITÉS!
L'INAUGURATION D'ALTA-P...

?

PAS SI VITE !

Que... Quoi? Qu'est-ce qu'il y a ? Qui vient encore perturber la quiétude de cet atelier?

"Vénus et la mendiante"... Ça ferait un tableau formidable...

... Vous ne trouvez pas?

AH, AH, AH!

Fédor, vous avez toujours eu un goût atroce... Vous ne serez jamais qu'un vulgaire pompier!

Quant à toi, petite morveuse, dépêche-toi de foutre le camp! On n'a pas de place pour toi ici, et t'as pas l'âge de poser!

Qu'est-ce qu'elle a celle-là ?

Elle a des habits de riches !

Elle est pas d'ici, hein ?

T'as vu, elle est toute tordue...

Elle veut se faire remarquer.

On n'a pas besoin de toi, ici. C'est la soupe populaire, pas le cirque !

C'est ça, fiche le camp !

C'est vrai quoi, y a déjà pas assez pour nous !

Drôle d'affaire! Je n'ai jamais rien vu de ce genre.

D'où tu sors, toi ? Où est ton maître ?

Toi au moins t'es mignon!

Tu veux que je vienne avec toi, c'est ça ?

Bravo, Raoul ! Mademoiselle, bienvenue au cirque Robertson!

CIRQUE ROBERT

Euh... Bonjour, Monsieur...

Robertson... Edgar Robertson... C'est drôle, dès que je t'ai vue dans le parc d'Alaxis, j'ai su qu'on se retrouverait.

Installe-toi! Tu es chez toi, ici. Je te présente toute notre troupe...

Tharcissius, notre homme d'affaires...

Pierre et Dany, qui ne font rien à moitié...

Madame Ailée, qui met les petits plats dans les grands...

...et Monsieur Raoul, que tu as déjà rencontré.

Comment tu t'appelles?

Mary.

Qu'est-ce qu'elle est belle!

Mange, Mary, tu dois avoir faim... Après on s'occupera de ton costume.

...À supposer que l'obus céleste atteigne sans dommage la planète occulte, rien ne nous dit qu'on pourra en revenir.

En *revenir*!?

Mais bon sang, qu'est-ce que vous avez tous à parler de **revenir** alors que nous sommes encore loin d'être partis? Avec des gens comme vous, ni Armilia ni l'archipel de Caylus n'auraient pu être découverts!

***Revenir*!?!** Faisons confiance aux peuples de l'Autre Monde pour nous en fournir les moyens!

Mais Axel, rien ne nous dit que cette planète soit habitée, ni même qu'elle soit habitable...

J'ai déjà répondu à cette question.

Trêve de détours, Fritz! Vous m'annoncez que vous me laissez tomber, que vous ne serez pas de l'expédition Antinéa... Qu'à cela ne tienne! Je partirai. Seul s'il le faut!

Axel, Axel, nous n'en sommes pas là...

Si, nous en sommes là ! Il est trop tard pour reculer. Je me suis personnellement engagé devant le général Morgan ! Je ne reviendrai pas sur ma parole.

Mais le lancement d'un premier obus, vide d'occupant, pourrait permettre...

Un obus vide ne nous apprendrait rien !

Axel, Axel, nous... Cette planète, c'est de mes yeux que je veux la voir, de mes pieds que je veux la fouler.

75

Quel est donc, messieurs, son mystère
Quel est donc, mesdam', son secret
À cette fille si légère
Qui saute et bondit sans filet?

Elle mérite cette belle enfant.
Un millier d'applaudissements.

BRAVO!

CLAP

CLAP

CLAP

BRAVO!

CLAP

BRAVO!

Maintenant, restez silencieux !
Voici l'homme à la double tête
Aux deux bouches et aux deux paires d'yeux
Voici deux cerveaux en tempête...

Mlle Laetitia...
Mlle Laetitia...

Oui... Qu'y a-t-il ?

Permettez-moi de me présenter... Stanislas Sainclair, rédacteur en chef de L'Écho des Cités... Votre numéro m'a fasciné. J'aimerais bavarder un moment avec vous.

Oh... je n'ai pas grand-chose à raconter.

Pardonnez-moi de vous poser cette question : vous êtes comme ça depuis longtemps ?

Euh... oui... depuis toujours.

Étrange... très étrange... J'ai entendu parler d'autres cas, tout à fait semblables au vôtre, mais beaucoup plus récents.

D'autres gens... penchés comme moi... Oh, c'est merveilleux ! Vous croyez que je pourrais les rencontrer ?

Si vous saviez comme je me sens seule... Ici tout le monde est très gentil. Mais ce n'est pas vraiment ma place.

Croyez-moi, je vous comprends... Moi aussi quand j'étais enfant, j'ai failli devenir un phénomène de foire.

Est-ce que vous croyez que ça se soigne ?

Honnêtement, je n'en sais rien. À mon avis, un seul homme pourrait vous aider, mais...

Mais... C'est quelqu'un de tellement étrange.

Oh, monsieur, dites-moi son nom, je vous en prie !

Il s'appelle Wappendorf, Axel Wappendorf... S'il n'a pas claqué la porte, il doit se trouver actuellement à l'Observatoire du Mont Michelson, près d'Alaxis.

Comme c'est loin... Et pourtant, il faut que j'aille le voir !

Au revoir, Monsieur Sinclair. Vous ne pouvez pas savoir le bien que ça m'a fait de parler avec vous...

Au revoir, Lætitia, bonne chance !

BERTSON

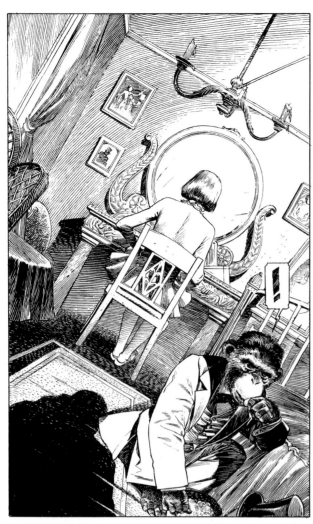

Formidable! Quel triomphe! Notre meilleure recette depuis trois mois!

Robertson, qu'est-ce que vous faites ici? J'en ai marre que tout le monde entre dans ma roulotte.

Dis donc, Mary, qui c'est qui te l'a construite ta roulotte inclinable?!... C'est pas une affaire d'ailleurs, on sait pas où se mettre.

C'est bien ce que je disais, c'est chez moi, ici!

Ça va, j'ai compris! Quel fichu caractère!

Mais qu'est-ce que tu racontes?...

Sois tranquille Robertson, il te dérangera plus longtemps, mon caractère. J'ai pas envie de moisir ici.

T'as parfaitement compris!

Tu ne peux pas me laisser tomber, Mary... Le cirque repose sur toi. C'est toi que les gens veulent voir.

Ils se disputent?

Mais non, ils font semblant.

Bientôt, on viendra de tout le continent pour t'admirer. On pourra construire un vrai chapiteau.

Je m'en fiche.

Rappelle-toi quand je t'ai ramassée! T'en menais pas large à Sodrovni... Depuis, on en a fait du chemin ensemble.

C'est vrai, excuse-moi! Mais je t'ai jamais promis de rester ici toute ma vie à jouer les bêtes curieuses...

Oh, Raoul, qu'est-ce que tu vas me manquer!

Quelle ingrate!

Quoi? Elle va vraiment partir?

Elle a raison. Un jour, moi aussi je m'en irai.

Oh toi! Si seulement c'était vrai...

Allez, en route, on a assez traîné ici!

Hauts plateaux
de l'Aubrac
26 novembre 1898

de froid est de plus en plus vif. Et la préparation des murs sera plus longue que je ne l'avais imaginé. Qu'importe! Rien ne compte face à l'œuvre grandiose que j'entreprends.

Dans la région, je sais qu'ils me prennent pour un fou. Si dérisoire que soit le prix pour lequel on m'a vendu le domaine, tous semblent le trouver excessif.

Étrange comme je vois l'œuvre m'apparaître. Pour la première fois,
j'ai l'impression que ce n'est pas moi qui dessine, que les formes se
tracent toutes seules sous mes doigts.

Maintenant, vous serez bien obligés de me croire!

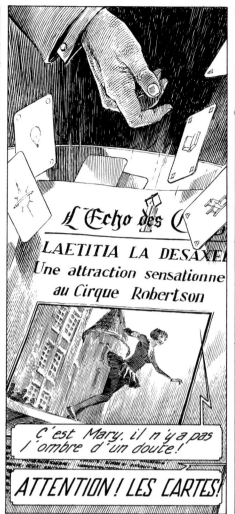

LAETITIA LA DESAXE
Une attraction sensationne
au Cirque Robertson

C'est Mary, il n'y a pas l'ombre d'un doute!

ATTENTION! LES CARTES!

Pour une fois que je gagnais!... On dirait que tu le fais exprès.

Mary ne s'exhiberait pas comme ça!

C'est ta soeur ça?

Ça lui ressemble un petit peu...

Laetitia...C'est pas le nom que tu m'avais dit.

C'est elle, c'est l'évidence même. Elle est vivante, bien vivante. J'étais le seul à y croire encore... Ma petite Mary... Comment en est-elle arrivée là?

Cette fois, pas de temps à perdre. Je pars immédiatement à sa recherche.

C'est complètement idiot... Tu pourrais envoyer quelqu'un.

N'insiste pas, ma décision est irrévocable!

Et le Consortium, qui va s'en occuper?

Kurt me remplacera. Ça lui fera le plus grand bien.

Kurt, tu vas devoir affronter une épreuve difficile, mais extrêmement formatrice. Je suis sûr que tu en es capable.

Oui, papa, tu peux me faire confiance.

Et tant que tu y es, profites-en pour faire ton choix entre ces deux charmantes personnes!

Oui, papa.

MONT
MICHELSON
5 SEPTEMBRE 750
20H45

BONG BONG

Je cherche monsieur Wappendorf... C'est ici?

Une jeune demoiselle pour Monsieur Wappendorf...

Une demoiselle, petit cachottier!

Mais je vous assure que...

Vous attendez quelqu'un, Axel?

Bonsoir, Monsieur... Je m'appelle Mary... Monsieur Sainclair m'a dit que vous étiez le seul à pouvoir m'aider.

Moi !?... Je suis très flatté, mais je ne vois pas comment...

Regardez-moi! On prétend que je suis anormale...

Vous voyez, je penche...

...et toujours dans la même direction...

Cela dure depuis trois ans.

Extraordinaire... Un phénomène tout à fait remarquable.

Pour moi, c'est un vulgaire piège.

Mettez-vous à la lumière là, sur la table ! Nous allons procéder à quelques expériences...

Il vaudrait mieux qu'elle se déshabille...

J'ai dû me tromper d'adresse.

Pas du tout !... Veuillez excuser mon collègue, il ne connaît rien à ces choses !

Ces vêtements, Soeren, nous donnent une précieuse indication...

Regardez ! Ils ne sont pas soumis à la même inclinaison que le corps.

Les cheveux par contre...

... se remettent immédiatement en position penchée.

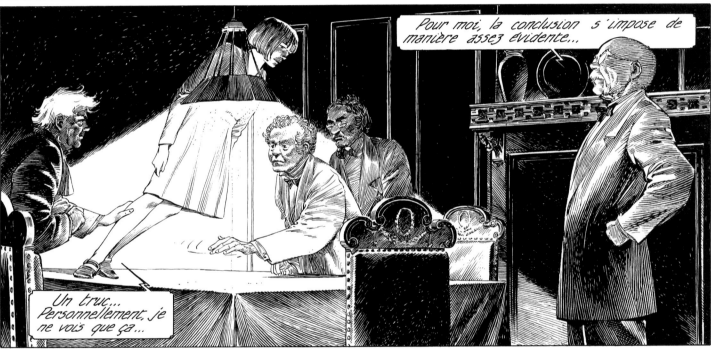

Pour moi, la conclusion s'impose de manière assez évidente...

Un truc... Personnellement, je ne vois que ça...

Ses jambes paraissent pourtant normales.

Je persiste à penser que nous y verrions plus clair sans tous ces habits.

Ça suffit ! Je ne suis pas une bête de cirque.

Vous avez entièrement raison, Mademoiselle... Permettez-moi une dernière expérience !... Messieurs, j'ai besoin de votre aide.

Voilà ... Poussez-la ! Encore !...Fritz, retenez-la bien !

Détendez-vous, Mademoiselle, ne résistez pas !

Mais je vais tomber...

Voilà, nous y sommes !

Lâchez tout !

AAAH !

C'est malin ! Je vous avais prévenu.

Messieurs, la preuve est faite.... Cette jeune personne va faire progresser la science à pas de géant.

Vous allez voir, c'est clair comme de l'eau de roche...

Voici la situation d'une personne normale attirée par le noyau de notre planète.

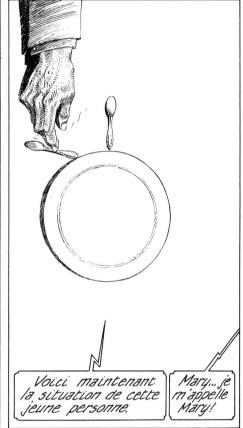

Voici maintenant la situation de cette jeune personne.

Mary... je m'appelle Mary!

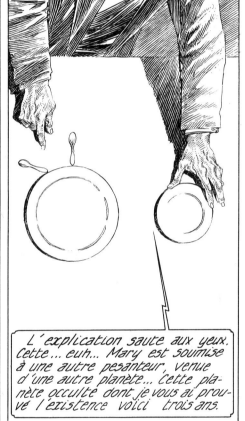

L'explication saute aux yeux. Cette... euh... Mary est soumise à une autre pesanteur, venue d'une autre planète... Cette planète occulte dont je vous ai prouvé l'existence voici trois ans.

Il s'agit donc d'une personne DÉPLACÉE... Ce qui confirme de manière tangible l'existence d'un autre monde habité...

Un monde auquel vous appartenez, Mary!

C'est drôle, c'est ce que j'ai toujours senti... Monsieur Wappendorf, vous m'avez beaucoup aidée. Je voudrais rester avec vous.

Hauts plateaux
de l'Aubrac
12 octobre 1899

Jamais je n'aurais cru peindre une telle fresque. C'est comme si c'était la paroi elle-même qui m'avait dicté cette image... J'entends d'ici les vociférations des critiques.

Cette demeure a son secret, je le sais depuis le premier jour. Quand je colle mon oreille aux murs, j'ai l'impression d'entendre une rumeur comme les échos assourdis d'une conversation.

À d'autres moments, c'est le sol qui se met à bourdonner. Le bruit augmente, puis s'interrompt. Je comprendrai, dussé-je détruire cette maison pierre à pierre.

Je ne veux plus rien. Plus de lettres de Florence, plus de visites importunes, plus de jours, plus de nuits. Seule compte désormais l'œuvre qu'il me faut accomplir.

Je traverse cette ruine dans tous les sens, j'arrive dans ce trou, et c'est pour apprendre que Mary vous a quittés depuis des mois.

Croyez que je suis le premier à le regretter, Monsieur... euh...

Von Rathen. Klaus Von Rathen.

Depuis le départ de Laetitia, les problèmes n'ont pas cessé.

Pierre et Dany sont tombés dans une dépression profonde... Madame Ailée s'est mise à maigrir... J'ai perdu mon petit singe... Et surtout le public a fondu.

Ah, c'était un vrai phénomène que cette petite... Une nature... Une bête de scène comme on en rencontre deux ou trois dans sa vie!

Monsieur, vous parlez de ma fille!... Pourquoi vous a-t-elle quittés d'ailleurs?

C'est ce crétin de journaliste qui a tout fichu par terre. C'est à cause de lui qu'elle est partie.

Pourquoi? Qu'est-ce qu'il a bien pu lui dire?

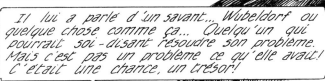

Il lui a parlé d'un savant... Wubeldorf ou quelque chose comme ça... Quelqu'un qui pourrait soi-disant résoudre son problème. Mais c'est pas un problème ce qu'elle avait! C'était une chance, un trésor!

Bon... Eh bien, il ne me reste plus qu'à retrouver ce... Wubeldorf...J'espère que cette fois, ce sera la bonne! Au revoir, Monsieur.

Ah, vous voilà, Wappendorf! Je suis content que vous ayez renoncé au projet absurde d'emmener cette petite avec vous...

Général, c'est-à-dire que...

C'est tout dit, c'est tout dit! L'armée et les femmes n'ont jamais fait bon ménage, tout le monde sait ça! Car il s'agit d'une mission militaire, ne l'oubliez pas!

Je le sais fort bien, Général. Et l'histoire vous en saura gré...

Chlowsky m'avait parlé de votre caractère buté. Je constate avec plaisir que vous pouvez vous rendre à la raison quand les circonstances l'imposent.

Au fait, où est la petite?

Elle doit bouder, comme d'habitude. Quel caractère!

Ah ça! Je souhaite bien de la chance à son futur mari!

Monsieur Wappendorf, il est l'heure.

Au revoir, Général. Bientôt, ce drapeau flottera sur le sol d'Antinéa...

Bonne route, mon vieux!

Courage, Wappendorf! Il ne s'agit encore que d'une mission de reconnaissance, mais l'heure de la conquête viendra, soyez-en sûr! Et surtout, n'oubliez pas les fusées pour nous informer de vos découvertes!

Comptez sur moi!

Mon Général, cette mèche que vous allez allumer va en enflammer trente autres...

Vous allez donc par ce seul geste libérer une énergie de six millions de joules... un véritable tremblement de terre.

Jamais, je n'ai été aussi fier de mettre le feu aux poudres!

TCHHH

Départ dans trois minutes!

Dites, vous êtes sûr que nous ne courons pas de risque?

Pas le moindre, Général! Nous sommes protégés par une quadruple couche de verre trempé.

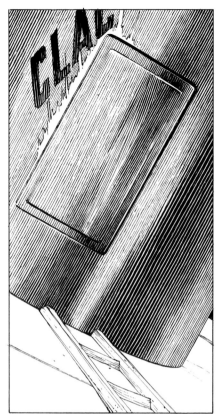

Sacrebleu! C'est ce que j'appelle un coup fumant!

Messieurs... messieurs...

Ma fille... Mary... Où est-elle?

Loin!

C'est votre fille, Monsieur! À votre place, je ne m'en vanterais pas.

Cette fois, pas de controverse! Il s'agit d'un malaise cardiaque.

113

Quel... Quel choc!
On a tenu le coup...

C'est... c'est drôle
Monsieur Wappendorf.

Qu'est-ce qui est drôle?

Maintenant, vous aussi
vous êtes penché!

Ma petite Mary, c'est un
moment extraordinaire...
Nous sommes en train d'échap-
per à l'attraction terrestre.

Super! C'est encore mieux
qu'à Alaxis.

Ouh là là! C'est plus de mon âge... des bêtises pareilles...

Il faudrait qu'un jour... je commence à me calmer...

Qu'est-ce qui se passe?

**Hauts plateaux
de l'Aubrac**
23 décembre 1899

À nouveau, l'image de ces sphères est venue me hanter ; cette fois, je n'ai rien fait pour résister. Elles m'apparaissent avec une précision telle que je serais incapable de peindre autre chose.

Pourquoi est-ce sur cette sphère solitaire et crevassée que mes pinceaux reviennent malgré moi ? Les critiques se moqueront à nouveau de moi et de mes obsessions bizarres. Ou plutôt non : ils ne verront jamais ces fresques. Ma tâche terminée, je fermerai les portes de cette demeure.

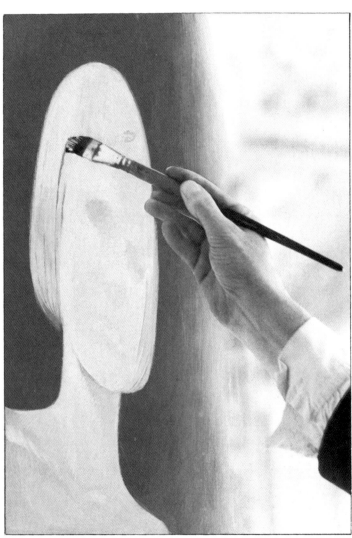

Dans cette grande salle uniquement peuplée de sphères, j'ai senti tout à l'heure le besoin impérieux d'un personnage. J'en suis sûr maintenant : "L'enfant de Phœbus" n'est pas un garçon, c'est une jeune fille.

J'ai beau faire, elle m'échappe, je suis incapable de visualiser les traits de son visage.
Jamais, je n'ai éprouvé à ce point le besoin d'un modèle.

Cette eau doit être très salée.
Nous flottons sans le moindre effort.

Des spongias! Comme sur le Lac Vert...

Tant mieux, on aura de quoi manger! Allez, Professeur, un dernier effort et vous y êtes!

Quelle chaleur! Au moins, on sera vite secs.

Tout de même, je me demande bien sur quelle planète nous sommes tombés...

Sur quelle planète? Mais sur la nôtre bien entendu!

Sur la nôtre.?! Petite ignorante!

Mais voyons, rappelez-vous! Le voyage a été très court. Nous sommes tombés presque tout de suite.

Hum... La notion du temps est toujours très perturbée dans ce genre de cas... Nous sommes sur une autre planète, assez proche sans doute... Disons un satellite... Un satellite que nous ne connaissons pas.

Mais, Professeur...

Taisez-vous, Mary, vous n'y connaissez rien! D'ailleurs, je me demande bien pourquoi je me fatigue à vous expliquer tout ça.

Des sphères... des sphères à perte de vue!

Attendez, Mary, ne courez pas comme ça! C'est prodigieusement intéressant...Ces sphères vibrent légèrement. Elles doivent se déplacer lentement, à un rythme quasi imperceptible.

Et on entend un bruit faible, mais parfaitement distinct... comme un mécanisme d'horlogerie.

Décidément, cette planète nous réserve bien des surprises! Cette fois, vous n'allez pas me dire que nous sommes toujours chez nous!

Plusieurs hypothèses sont envisageables... Il pourrait s'agir des habitants de l'Autre Monde... Dans ce cas, comment entrer en communication avec eux? Il pourrait aussi s'agir de leurs oeufs...

Attende3. Mary, ne coure3 pas comme ça ! Je vais faire des mesures pour établir notre position.

C'est par là, je le sens... Je suis sûre que c'est la bonne route... Vous avez remarqué, Professeur, je penche moins !

Fichue idée que j'ai eue de l'emmener ! Cette petite va me tuer.

LÀ ! UNE FUMÉE !

Il y a un passage entre ces deux sphères... Quelqu'un doit habiter à cet endroit...

OHÉ ! Y A QUELQU'UN ?

Une sorte de campement. Les occupants ne doivent pas être loin.

Un appareil photographique, des outils, des livres...

Il y a même de quoi manger.

Dommage que tout soit de travers!

Oh! La dernière reliure de Demain la science!

Un article sur les infraconducteurs... Ça, c'est vraiment épatant!

Je pars à la recherche de ces gens... Ils ne doivent pas être loin.

En tout cas, moi je reste ici, je n'en peux plus.

Je n'ai toujours pas achevé le portrait de la jeune fille. En son absence, toutes les autres fresques me paraissent inutiles.
Pourquoi me suis-je mis à peindre ces portes?

Parfois, j'ai l'impression que les lieux se modifient autour de moi. Que ce couloir, hier encore, n'était pas aussi étroit. Est-ce la solitude qui finit par me rendre fou?

Irrésistiblement, je me sens attiré...

Que... Que se passe-t-il ?

La nuit... déjà !

131

Y a quelqu'un ?

Mmh..

Enfin... Vous êtes là !

Qui...? Qui êtes-vous?

Je m'appelle Mary.

Et vous?

Euh... Augustin Augustin Desombres.

J'avais peur que vous ne soyez plus vieux... d'après votre maison.

Ma maison?

Oui, je sais, ce n'est pas vraiment une maison... Enfin, nous nous sommes installés chez vous. Il y avait encore du feu.

Où sommes-nous? Je ne comprends pas... Je ne sais pas ce qui s'est passé.

Allons, remettez-vous! Qu'est-ce qui vous est arrivé?

J'étais en train de peindre... de vous peindre.

De me peindre? Moi?!?

Oui, je sais que c'est bizarre, mais je vous reconnais. Je suis sûr que c'était vous.

Et, pourtant je n'arrivais à rien. Pour la première fois depuis des années, j'avais vraiment besoin d'un modèle... de quelqu'un de vivant...

Je peux poser pour vous, si vous voulez... Je l'ai vu faire à Sodrovni.

Sodrovni ?... Mais où sommes-nous, Mary, où sommes-nous ?

Sur une des sphères...

Une sphère, c'est impossible ! Tout est plat et désert comme l'Aubrac.

Si, Augustin, c'est bien une sphère, isolée des autres, la seule où je ne sois pas penchée... C'est chez moi... chez nous.

Les sphères... c'est incroyable...

Vous ne dessinez plus Augustin ?

Si, Mary, tout de suite... juste un détail à vos cheveux...

Une mèche rebelle...

Augustin ?

Oui, Mary...

C'est un rêve...elle n'est pas vraiment là...

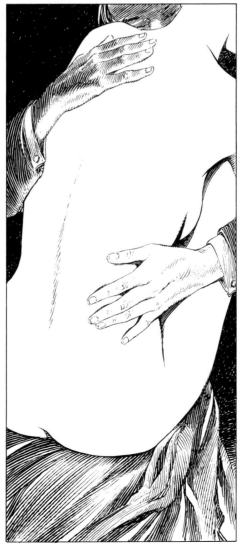
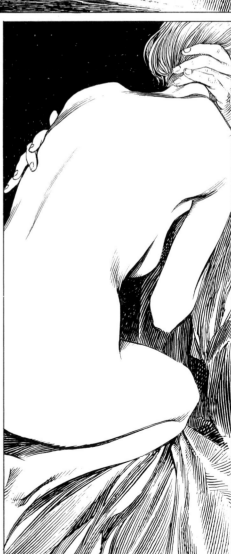

Monsieur... euh... qui...

Verne. Jules Verne, romancier. Vous ne me connaissez pas, mais moi je vous connais. Michel Ardan m'a fait lire votre "Encyclopédie des transports"...

Michel Ardan, mais...

Vous l'avez manqué de peu. Il s'est remis en route il y a quelques heures avec son compagnon.

D'après ce qu'ils m'ont dit, ils s'étaient perdus tous les deux au fond d'un gouffre, lors d'une expédition archéologique. Ils ont séjourné ici quelque temps, avant de reprendre leur exploration.

Mary avait donc raison. Nous sommes bel et bien retombés dans les profondeurs de notre propre monde.

L'endroit est extraordinaire. Venez, je vais vous montrer tout ça!... Tenez, prenez cette lampe!

Mais vous, Monsieur, de quel monde venez-vous? Avec quel vaisseau êtes-vous arrivé ici?

Je n'ai utilisé aucun engin. Et pourtant, Dieu sait si j'en ai décrit des machines... Mais la plus efficace et la plus fiable, en tout cas pour moi, c'est l'écriture.

L'écriture?

Oui, Monsieur Wappendorf, par la seule force de l'imagination en certains moments privilégiés, je parviens à quitter totalement le monde habituel dans lequel je vis...

C'est arrivé pour la première fois il y a quelques années... après la visite d'une exposition... Il y avait là une peinture étrange qui m'a longtemps retenu, un tableau d'un certain Desombres.

Le soir, j'ai commencé à écrire un récit à propos de cette image et je me suis endormi sur ma page... Je me suis retrouvé dans le monde du tableau...

Ouh là là, je penche de plus en plus!

Depuis, j'ai fait chez vous quelques voyages extraordinaires. Je me suis enfoncé dans les profondeurs de vos gouffres, j'ai navigué sur la mer des Silences, traversé le désert des Somonites... Ah, Monsieur Wappendorf, quel monde que le vôtre!

Vous allez voir, vous ne regretterez pas d'être descendu.

Ne vous en faites pas! Michel Ardan et son compagnon étaient aussi penchés que vous.

Je n'en peux plus, je suis épuisé.

Voilà, c'est ici que je voulais vous emmener.

Alors, qu'est-ce que vous en pensez?

Manifestement, une des sphères s'est détachée des autres. Les traces sont encore très visibles.

Toutes ces sphères sont solidaires... Elles s'équilibrent mutuellement... L'absence d'une seule peut déstabiliser tout le système.

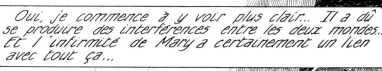

Oui, je commence à y voir plus clair... Il a dû se produire des interférences entre les deux mondes... Et l'infirmité de Mary a certainement un lien avec tout ça...

Qui est Mary ?

Mary, eh bien... Ah ça, où est-elle passée ? Le général avait raison : je n'aurais jamais dû l'emmener.

Pardonnez-moi, je vais devoir vous laisser. Il faut absolument que je la retrouve.

Vous avez raison, les femmes n'attendent pas... Au revoir Monsieur Wappendorf. Peut-être nos routes se croiseront-elles à nouveau...

Un mot encore... Tout ce que je vous ai dit doit rester notre secret. Nos deux mondes ne sont pas encore prêts à découvrir qu'ils sont dominés par des ressorts invisibles.

C'est drôle, je croyais être attirée par un autre monde...

Peut-être que plus rien n'existe, qu'il ne reste plus que nous... Peut-être que même le temps s'est arrêté.

Tu ne dis rien, Augustin... À quoi tu penses?

Alors... Mary... qu'est-ce que c'est que cette histoire ? Tu disparais comme ça, sans crier gare.

Mais pas du tout, je vous avais dit que...

Y a pas de mais !... Et vous, Monsieur que je n'ai pas l'honneur de connaître...

Je me nomme Desombres, Augustin Desombres.

Ah, c'est vous le peintre !... Bon... Eh bien, Mary, je pense que tu vas faire tes adieux à ce monsieur. Nous devons nous dépêcher de rentrer.

Allons, allons, c'est ridicule... Vous vous connaissez à peine...

C'est peut-être ridicule, mais c'est comme ça. C'est avec lui que je veux vivre.

Personne ne peut vivre ici. Il faut que tout rentre dans l'ordre, que les choses reprennent leur cours normal.

Je ne veux pas rentrer. Je veux rester ici avec Augustin... C'est la première fois que je me sens bien.

"Qu'est-ce que ça veut dire "normal" ? Ma mère est normale, mon frère est normal. J'ai aucune envie d'être comme eux !

Quand je suis devenue penchée, j'ai pas compris tout de suite la chance que c'était. Je me sentais malheureuse, exclue... Mais maintenant, j'ai découvert tout ce que ça m'a apporté.

Écoute, Mary, le fait que tu sois penchée partout sauf ici est une énigme que la science finira bien par résoudre...

Une énigme!?! Vous, Monsieur Wappendorf, vous voyez des énigmes partout, mais vous ne vivez jamais rien!

Comment rien? Et l'Obus céleste, ce n'était rien sans doute? Et le Vaisseau du désert, ce n'était rien non plus!

Les machines, vous ne connaissez que ça! Mais la vie, vous ne savez pas ce que c'est!

Aimer... Vous avez déjà aimé quelqu'un ?

Comme tu as changé, ma petite Mary, je ne te reconnais plus...

Venez, Monsieur Desombres, nous avons à parler sérieusement...

N'y va pas, Augustin, ne l'écoute pas!

Cette petite est bouleversée, incapable d'entendre mes explications. Mais la situation est grave, Monsieur Desombres, vous devez me croire...

Il y a quelques heures, j'ai rencontré un natif de votre monde, Monsieur Verne.

Verne?... Jules Verne?

Oui, c'est ça... Monsieur Verne m'a parlé d'un de vos tableaux. Par un mécanisme qui nous échappe, il est probable que vos peintures soient la cause de tout ce qui est arrivé.

Je ne comprends pas. D'où venez-vous?

De très loin... Nous, il nous a fallu accomplir le passage sur un plan physique, par la méthode lourde si j'ose dire. Pour vous, tout a été mental. C'est votre art, vos tableaux qui vous ont permis de passer...

Vous êtes un visionnaire, Monsieur Desombres, un visionnaire au pouvoir redoutable. Nos vies sont affectées par ce que vous avez peint... Vous pouvez provoquer des cataclysmes!

C'est effrayant. Mais je vous assure que...

Je sais, vous ignoriez tout de votre pouvoir. Mais maintenant, vous savez....Il faut mettre fin aux communications entre les deux mondes. Vous devez rentrer chez vous.

Une chose me paraît claire. Si c'est votre peinture qui est à l'origine de ce qui s'est passé, c'est elle et elle seule qui peut résoudre le problème dans lequel nous nous débattons.

Je comprends, je crois savoir ce qu'il faut faire.

Qu'est-ce qu'il t'a dit?

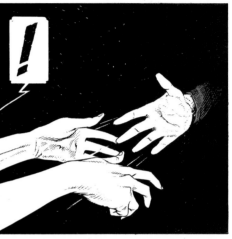

Je me suis retrouvé dans le couloir, les jambes flasques, le cœur battant à tout rompre. Si ma main n'était pas si étrangement striée, je jurerais que j'ai tout rêvé.

Je n'ai pas mal, mais ces lignes me font peur. C'est comme un stigmate, le signe visible de ma traîtrise. Je frotterai ma main aussi longtemps qu'il faudra pour les faire disparaître.

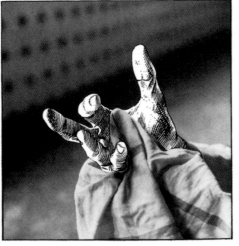

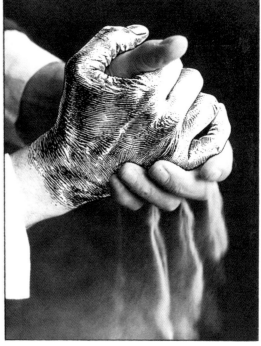

Rien à faire, je porte la trace indélébile de ce moment où Mary a pris ma main pour la retenir dans la sienne. Comme si cette rencontre m'avait marqué au fer rouge.

Finalement, Mary, je suis heureux de ne pas être indemne, de garder cette trace de toi, ce souvenir incrusté dans ma peau. Je réalise maintenant combien j'ai été stupide de revenir.

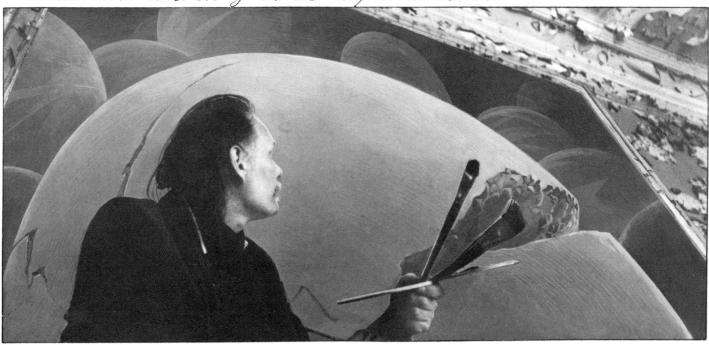

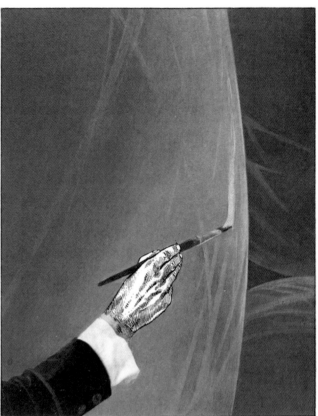

Peindre m'ennuie... J'agis comme un automate pour modifier mes fresques. Les pinceaux courent tout seuls sur les parois. Pourquoi ai-je écouté ce Wappendorf? Pourquoi ne suis-je pas resté près de toi?

Ta sphère a repris sa place au milieu des autres.
Fissures et crevasses se sont bouchées.
Tout est revenu dans l'ordre.

Je n'entends plus rien, je ne sens plus rien...
Tout à l'heure, je vais partir. Je fermerai pour toujours la porte
de cette maison. Je marcherai droit devant moi.

Je me hais, Mary. Tu ne peux pas savoir comme je me hais.

Le plus étonnant, c'est qu'elle a réussi à libéraliser sans tomber dans l'anarchie.

Bonsoir, Mary...euh...pardon, Madame Von Rathen...

Vous n'avez pas changé, Axel, les années n'ont pas de prise sur vous.

Vous dites ça, Mary, mais...

Venez, Axel, nous serons plus tranquilles pour parler !

Quand je pense que ça fait près de dix ans que je ne vous ai pas revue...

Vous ne m'en voulez plus, Mary?

Non, vous aviez sans doute raison, à votre façon...

J'ai suivi vos conseils, Axel. Je me suis comportée comme une personne adulte et responsable. J'ai pris la succession de mon père à la tête de Mylos... Pauvre papa, je n'aurais pas cru qu'il m'aimait comme ça! J'ai tenté d'assouplir le régime...

On dit que vous avez fait des merveilles.

Oh, je suis loin d'avoir réussi sur tous les plans, mais je crois avoir apporté quelques améliorations.

Oui, Azel, j'ai fait ce que vous appeliez mon devoir. Et pourtant, chaque jour, je repense à Augustin et à l'époque où j'étais penchée...

Vous savez peut-être que mon histoire est devenue un conte pour endormir les enfants. Mais pour moi, elle est toujours aussi réelle, aussi présente...

Moi aussi, je n'ai pas cessé d'y penser... Pendant toutes ces années, je n'ai pas inventé le moindre véhicule. C'est drôle, ça ne m'amuse plus... Vous voulez que je vous dise, Mary, j'ai même essayé de retourner là-bas!

Je sais, moi aussi... Mais le gouffre de Marahuaca s'est refermé... D'ailleurs, c'est peut-être mieux comme ça... Croyez-moi, Azel, ce que nous avons vécu là, rien ne pourra nous l'enlever.

SCHUITEN - PEETERS

www.casterman.com

ISBN 978-2-203-02966-8
N° d'édition : L.10EBBN001161.C002

© Casterman 2010